RENÉ GUILLOT

IMAGES

ET

MOTS

ILLUSTRATIONS
D'HÉLÈNE POIRIÉ

LIBRAIRIE LAROUSSE
17, RUE DU MONTPARNASSE - PARIS-VIe

Préface

Voici l'album que René Guillot avait imaginé pour amuser et instruire sa petite-fille : Fanny. A cet âge heureux de la prise de possession du monde, l'enfant de 4 à 5 ans s'affirme par son langage.

Non seulement les mamans pourront faire parler les enfants, mais, surtout, les maîtresses des écoles maternelles trouveront dans les gouaches d'Hélène Poirié la matière d'une série d'exercices éducatifs.

Le texte en marge n'est qu'un guide, une base pour les multiples exercices d'observation que permettent les 314 tableaux composés. L'enfant posera spontanément des questions et parlera. L'image provoque la recherche du mot, qu'elle explique en situation. Le cadre logique de présentation des faits, des actes et des objets incite à utiliser les verbes et les adjectifs.

Toutes ces images de la vie moderne s'ordonnent, certes, selon un ordre alphabétique. Mais, de page en page, l'enfant retrouvera des images et des mots à rapprocher. Non seulement les saisons, le jour et la nuit, mais aussi la **gare,** avec l'animation de son hall et de ses quais, le **mécanicien** conduisant la motrice, et, plus loin, les diverses formes de **wagons.** Bien souvent le jeune utilisateur de cet album aura pour guides des compagnons de son âge : Fanny et Michel.

Enfin, les mots-souches imprimés en gras (sans majuscules) peuvent être acquis par l'enfant. Mais le but premier de cet album-manuel est de *fournir des occasions de thésauriser des images.*

© Librairie Larousse, 1970.

Librairie Larousse (Canada) limitée, propriétaire pour le Canada des droits d'auteur et des marques de commerce Larousse. — Distributeur exclusif au Canada : les Editions Françaises Inc., licencié quant aux droits d'auteur et usager inscrit des marques pour le Canada.

ISBN 2-03-051420-9

accordéon

Michel
joue
de
l'accordéon.
Fanny
danse
en tenant
par les pattes
son
chien Rip.

affiche

On colle
les affiches
sur les murs.
L'afficheur
a l'air
pressé.

agent

Son
bâton blanc
à la main,
l'agent
règle
la
circulation.
L'écolier
traverse
dans
les clous.

aigle

L'aigle
a deux
grandes ailes.
Il emporte
un lapin
dans les airs.
Puis il
le mangera.

aiguille

Fanny
va coudre
un bouton.
Elle enfile
une
aiguille.

album

Dans
un album
on classe
des
photographies,
de jolis
souvenirs
de vacances.

allumette

Michel
frotte
une
allumette
et
enflamme
un bout
de papier
pour
allumer
le feu.

ABCDE UVWX
FGHIJ YZ
KLMNO
PQRST

alphabet

Les lettres
de cet
alphabet,
imprimées
en couleurs,
sont des
majuscules.

Des chiens :
la chienne
et trois chiots
dans leur
corbeille.

Une oie
marche
devant
ses deux
oisons.

La chatte
joue
avec
son chaton.

Des moutons :
la brebis
surveille
son agneau.

Des chevaux :
la jument
et
son poulain.

La vache
et son veau
dans
un pré.

La poule
picore
avec
ses poussins.

Les
petits lapins :
des lapereaux
dévorent
des carottes
devant
la lapine.

Des canards :
la cane
laisse
nager
ses canetons.

La chèvre
attend
son chevreau.

Des porcs :
la truie
et
le porcelet.

L'ânesse
admire
l'agilité
du petit âne,
son ânon.

La souris
dit
à son
souriceau :
« Gare
au chat! »

Le sanglier
explore
la forêt
avec
son
marcassin.

La biche
cache
son faon
dans
la forêt.

Des renards :
la renarde
et le
renardeau
n'ont pas vu
la souris.

4

arc

Michel
tire à l'arc
et plante
une flèche
dans
un carton.

arc-en-ciel

Après
la pluie,
on voit
se dessiner
l'arche
lumineuse
d'un
arc-en-ciel.

arche

Sous l'arche
du pont,
un pêcheur
à la ligne
est
dans
son bateau.

arbres

Au bord
de
la rivière,
de
grands arbres
donnent
de
l'ombrage.

armes

L'armurier
vend
toutes sortes
d'armes :
fusils,
pistolets,
sabres.

armoire

Dans
une armoire
maman
range
le linge
et les
vêtements.

atelier

Dans
son atelier
le menuisier
rabote
une planche
sur son
établi.

atelier

Rabot.
Scie.
Ciseau.
Maillet.
Meule.
Tenaille.

automobiles

C'est une
auto blanche
portant
le numéro 2
qui passe
la première
dans
cette course.

automobiles

La course.
La piste.
Les tribunes.

autobus

L'autobus
transporte
les
voyageurs,
dans
les
grandes villes.

autocar

L'autocar
conduit
les passagers
de la gare
au village.

automne

En automne,
les
feuilles mortes
tombent
des arbres.
Le vent
les emporte.

automne

C'est la saison
des vendanges.
Les raisins
sont mûrs.
Les pommes
et les poires
aussi.

autruche

L'autruche
est
un gros oiseau.
Son cou
est déplumé.
Elle court
et ne vole pas.

aviateur

L'aviateur
pilote
son avion.
Dans la
cabine,
le pilote
surveille
les cadrans.

6

avions

Sur les pistes
du terrain
d'aviation
atterrissent
et décollent
les appareils
à hélice
ou à réaction.
Ils font
le plein
d'essence.
Les passagers
embarquent
par
l'échelle
roulante,
conduits
par
l'hôtesse
de l'air.

avions

La tour
de contrôle.
Les
bâtiments
de
l'aéroport.
Les
camions-
citernes.

bain
baignoire

Le chat
Mistigri
est tombé
dans
la baignoire
et il a pris
un bain forcé.

baleine

Les
pêcheurs
ont
harponné
une baleine,
le plus gros
animal
qui vit
dans la mer.

balance

Sur
sa balance
l'épicière
pèse
des oranges.

balançoire

Le chat
et le chien,
assis
près
de la
balançoire,
regardent
Michel
pousser
Fanny
qui
se balance.

ballon

Le marchand de ballons en vend de toutes les couleurs. Fanny et Michel en achètent chacun un.

barbe

L'aveugle que son chien conduit dans la rue a une longue barbe blanche.

basse-cour

Dans la basse-cour, Fanny donne des grains aux poules et aux dindons.

barque

La barque est un petit bateau qu'on pousse souvent à la perche.

bassin

Autour du bassin, les enfants jouent à faire voguer leurs bateaux. Le vent gonfle les voiles.

bateau

Inondé sous la pluie du jet d'eau, le bateau de Fanny a failli couler.

bébé berceau

Le poupon de Fanny est un beau bébé aux joues roses. Il est emmailloté; il dort dans son berceau.

biberon

Fanny donne le biberon à son poupon, avant de le coucher.

berger
béret

Coiffé
d'un béret,
son bâton
à la main,
le
petit berger
garde
ses moutons.

bibliothèque

Michel,
monté
sur
un escabeau,
range
des livres
sur
les étagères
de la
bibliothèque.

bijoux

Devant
son miroir,
Fanny
choisit
parmi
ses bijoux.
Elle
est
très coquette.

bijoux

Collier.
Bagues.
Bracelets.
Boucles
d'oreille.
Pendentifs.
Clips.
Un coffret
à bijoux.

bicyclette

Le chien
Rip
essaie
de monter
à
bicyclette.
Michel
tient
la selle
pour
que le chien
ne tombe pas.

bœuf

Deux bœufs
attelés
à une charrue
labourent.
On dit :
un bœuf
et deux bœufs.

boucherie

Devant
son étal,
le boucher
découpe
un quartier
de bœuf,
pour tailler
un bifteck.

boucherie

Le commis
décroche
un gigot
de mouton.
A la caisse,
la bouchère
fait un paquet
pour
une cliente.

bougie

C'est la fête
de Fanny.
Elle souffle
les quatre
bougies
de son gâteau
d'anniversaire.

bougie

S'il y a
une panne
d'électricité
on va
se coucher
un bougeoir
à la main.

boulanger

Le boulanger
pétrit la pâte
et fait cuire
le pain
dans son four.

brun, blond

Michel
est brun,
Fanny
est blonde.
Elle a
des yeux
bleus.

camion

Le conducteur
répare la roue
de son camion
chargé de
grosses pierres.

canard

Dans la mare,
la
maman cane
barbote
entourée
de ses
cinq petits
canards.

canon

Michel joue
avec un fort,
des soldats
de bois
et deux canons.

carrosse

Le Chat botté
roule
dans son
carrosse
dont
les roues
sont dorées.

cartable

Fanny part
pour l'école.
Dans son
cartable
elle emporte
ses livres
et ses cahiers.

casquette

Les
deux enfants
ont coiffé Rip
d'une
casquette
et Mistigri
d'un chapeau.
Ils rient
aux éclats.

cavalier

Michel,
en cow-boy,
est à cheval
sur le dos
de Rip.
Le cavalier
lance
son lasso.

cave

Dans la cave
sont rangées
des barriques
et des casiers
de bouteilles.

cerf-volant

La corde
du cerf-volant
s'est cassée.
Les deux
enfants
le regardent
s'envoler dans
les nuages.

chameau

Le chameau
est un animal
à deux bosses.
Il vit
dans le désert.

champ

Le champ
est
en bordure
de la forêt
où poussent
des
champignons.

charrette

Dans le champ
de blé,
le paysan,
avec
sa fourche,
charge
des gerbes
sur sa charrette.

chasseur

Le chasseur
a tiré
un lièvre.
Son chien
le rapporte
dans sa gueule.

chat, chatte, chaton

Le chat
est gris,
la chatte
est blanche.
Les cinq
chatons
s'amusent.

chaussures

Dans
le magasin
de chaussures,
Fanny choisit
une paire
de souliers.
La vendeuse
est patiente,
car Fanny
a
tout essayé,
même
des sabots!

chaussures

Bottes.
Bottillons.
Sabots.
Galoches.
Espadrilles.
Brodequins.
Sandales.

château

Devant
les murailles
d'un vieux
château
du Moyen Age,
Fanny
et Michel
prennent une
photographie.
Pendant
la Renaissance,
les rois
ont construit
de très beaux
châteaux
près
de la Loire.

château

Pont-levis.
Douves.
Fossés.
Tours.
Créneaux.
Donjon.
Chapelle.

cheminée

Mistigri
se chauffe
devant
la cheminée,
couché
sur
son coussin,
près
d'une pelle
et des
pincettes.

chenille

La chenille
rampe
le long
d'une
branchette
et ronge
une feuille
verte.

cirque

Sous la tente
du cirque,
la foule
emplit
les gradins.
Dans les airs,
des acrobates
voltigent
sur des
trapèzes
volants.
Les éléphants
sortent
de la piste.

clown

Un clown
fait son entrée
et exécute
une série
de sauts
périlleux.

cloche
clocher

Des pigeons
volent
autour
du clocher
où se balance
une grosse
cloche.
Une
petite cloche
est une
clochette.

coquillage

Les moules,
les huîtres,
les coquilles
Saint-Jacques
sont
des
coquillages.

coquelicot

Le coquelicot
est une fleur
des champs,
d'un beau
rouge
comme
la crête
du coq.

corbeau

Les corbeaux
sont
des oiseaux
noirs,
beaucoup
plus gros
que les merles.
Ces trois-ci
sont perchés
sur
la même
branche.

crocodile

Les crocodiles
ressemblent
à d'énormes
lézards.
Ils vivent
dans
les rivières
des pays
chauds.

croix

Aux
carrefours
des chemins
se dressent
souvent
des croix.

cuisine

A la cuisine,
Fanny,
devant
la cuisinière
à gaz,
regarde
un sablier
pour savoir
quand
les œufs
à la coque
seront cuits.

cuisine

Casseroles
Poêles.
Plats.
Louches.
Panier
à salade.
Évier
Saladier.
Assiettes.

cygne

Fanny
et
Michel
lancent
des morceaux
de pain
à un cygne.
C'est
un bel
oiseau
au cou
très long
et au bec
jaune.

dames

Les
deux enfants
jouent
aux dames.
Fanny
a les noirs.

**danse
danseur**

Les enfants
dansent.
Chaque
petit danseur
conduit
sa danseuse.

dessin

Avec
des craies
de couleur,
Michel dessine
au tableau
un coq
encadré
d'un carré
bleu.

dindon

Le dindon
est un oiseau
au cou rouge.
Avec sa queue
en éventail,
il fait
la roue.

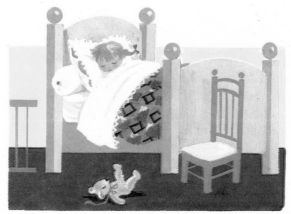

disque

Michel
arrête
l'électrophone
et Fanny
change
le disque.

dominos

Fanny
apprend
à compter
avec
des dominos
alignés.
Blanc et 1,
1 et 2,
2 et 3,
3 et 5,
5 et 4.

draps

Au lit
on dort
entre
deux draps.
Ceux
de Fanny
sont brodés
d'un F.

drapeaux

Ces drapeaux
flottent
au sommet
des mâts.
Ils
représentent
les divers pays
du monde
qui
participent
à l'exposition
internationale.

drapeaux

Les drapeaux
ont
des couleurs
vives,
faciles à voir
de loin.
Quelle est
la couleur
la plus
fréquente?

15

échelle

Les enfants,
montés
sur
une échelle,
cueillent
des cerises.

éclair

Au cours
d'un orage,
le tonnerre
gronde
et le ciel
est zébré
d'éclairs.

école

Avant d'entrer
en classe,
dans la cour
de l'école,
les enfants
se mettent
en rang.

**écoliers
écolières**

Les garçons
sont
des écoliers
et les filles
des écolières.

écriture

Pour
apprendre
à écrire,
Fanny
fait une page
d'écriture.

écureuil

Sur
une branche
du chêne,
un écureuil
roux
croque
un gland.

écurie

Cette écurie
abrite
deux chevaux,
un mulet
et un âne.

écurie

Ils mangent
l'avoine
dans leur
mangeoire
et arrachent
avec
leurs dents
le foin
du râtelier.

éléphant

Le plus gros des trois éléphants a de longues défenses. Il enroule sa trompe au-dessus de sa tête.

embrasser

Avant de partir en classe, Fanny embrasse sa maman.

épi

Un épi de maïs pèse plus lourd que plusieurs épis de blé.

éponge

Fanny se sert d'une grosse éponge pour faire sa toilette.

escalier

Rip est couché sur la cinquième marche de l'escalier de pierre.

escargot

5 escargots partent en promenade, mais un autre n'est pas encore sorti de sa coquille.

été

L'été est la saison la plus chaude de l'année. Dans la campagne on fait la moisson.

été

Les baigneurs jouent dans la rivière. Fanny fait un bouquet.

étoile

La nuit,
on voit
briller
les étoiles
dans le ciel.

facteur

L'homme
qui apporte
les lettres
à la maison
et donne
ce matin
le courrier
à Fanny,
c'est
le facteur.

famille

Le premier
janvier
la famille est
réunie chez les
grands-parents
de Fanny,
pour leur
souhaiter une
bonne année.

famille

Grand-père.
Grand-mère.
Papa, maman.
Oncle, tante.
Cousins.

faucille

Avec
sa faucille,
le paysan
coupe
de l'herbe
pour
ses lapins.

faux

Pour faucher
les blés
ou
la luzerne,
on se sert
d'une faux.

fée

D'un coup
de
baguette,
la
bonne fée
transforme
la citrouille
en carrosse
pour
Cendrillon.

fenêtre

Cette
fenêtre
encadrée
de
contrevents
verts
a
six carreaux.

ferme

La cour
de la ferme
s'anime
chaque matin.
Un tracteur
part pour
les champs.
Médor menace
la vache.
La volaille
cherche
sa nourriture.
Le fermier
attelle
son cheval
à un
tombereau.

fermier, fermière

La fermière,
devant
la porcherie,
donne
à manger
aux porcs
dans
leur auge.
Sous le hangar
sont rangés
une charrette
et un rouleau.
Le pigeonnier,
près
de l'écurie,
est vide.
Les pigeons
sont
dans
les champs
moissonnés.

fête foraine

A la
fête foraine,
Fanny
et Michel
admirent
les manèges
de chevaux
de bois
et d'avions,
les tirs et
les loteries.

feuille

Voici
des feuilles :
de papier
à lettre,
de chêne,
de laurier,
de platane,
de nénuphar.

filet

Fanny
poursuit
un papillon
pour
le prendre
dans
son
filet.

fleurs

Dans
les jardins
on cultive de
belles fleurs :
les roses,
les tulipes, les
chrysan-
thèmes,
les pivoines,
les œillets et
les myosotis.

fleurs

Dans
les champs
et les bois
poussent
des fleurs
aussi jolies :
coquelicots,
bleuets,
violettes,
pâquerettes
et
boutons-d'or.
Le muguet
porte
des clochettes
blanches.

flûte

Michel joue
de la flûte.
Fanny
bat des mains.

forgeron

Le forgeron
va ferrer
un cheval.
Il fait rougir
le fer
à sa forge
et le martèle
sur
son enclume.

fouet

Le charretier
fait claquer
son fouet.
Le cheval
se cabre.

fromage

Ces
six
petites souris
se régalent
en grignotant
un fromage
de Gruyère.

fruits

Les arbres fruitiers de nos vergers nous donnent les cerises, les pommes, les poires, les abricots, les amandes, les olives, les nèfles, les pêches, les noix et les noisettes.

fruits

Les arbustes de nos jardins donnent aussi des fruits savoureux : les groseilles, les framboises, le cassis, qui sert à faire une excellente liqueur. Quant au fraisier, c'est une plante rampante.

fruits exotiques

En Afrique et dans d'autres pays chauds mûrissent des fruits savoureux :

la banane, le cacao qui donne le chocolat, les mangues, les papayes, les avocats, les oranges, les citrons, les pample-mousses, l'ananas.

fumée

La fumée du feu s'élève. On la voit monter au-dessus du toit par le tuyau de la cheminée.

funiculaire

Il existe des funiculaires qui escaladent les pentes des montagnes.

fusil

Avec ce fusil,
le chasseur
peut tirer,
coup sur coup,
deux
cartouches.

garage

Dans
un garage,
on gare
les autos,
on les lave
et on
les répare,
on achète
de l'essence.

fusée

Pour aller
sur la Lune,
les
astronautes
ont voyagé
dans
des cabines
propulsées
par d'énormes
fusées
à plusieurs
étages.

gare

Dans
le grand hall,
les chariots,
chargés
de bagages,
passent
au milieu
des voyageurs.
Les uns
arrivent,
descendus
du train
arrêté le long
du quai.
D'autres
voyageurs
partent.
Ils achètent
leurs billets.

gare

Au kiosque,
on vend
des livres
et des
journaux.

Aux portillons,
des
contrôleurs
vérifient
les billets.

Une machine
à vapeur tire
des wagons
de
marchandises.

22

gâteau

Ce gâteau est
une tarte.
On en a
coupé
deux
morceaux.

géranium

Ce beau
géranium
pousse en pot.
Il porte
trois grappes
de fleurs
rouges.

girafe

La girafe,
un animal
au long cou,
vit dans la
brousse
africaine.

globe

Cette boule
qui
représente
la Terre
est
un globe
terrestre.

gorge

Michel
a la grippe.
Il porte
un foulard
noué autour
de la gorge.

grenouille

La
plus grosse
de
ces trois
grenouilles
vertes
saute
dans la mare.

grille

La porte
de la cour
de l'école
est fermée
par une grille.
Les barreaux
sont peints
en vert.

gui

Aux branches
des arbres,
on voit
souvent
pendre
des touffes
de gui,
feuilles vertes
et
petites boules
blanches.

gymnastique

Dans le gymnase, les enfants font de la gymnastique. Le professeur les conseille. Un garçon travaille au cheval-arçons.

gymnastique

Michel grimpe à la corde lisse. Un de ses camarades est aux barres parallèles. Un autre s'exerce à la barre fixe.

guitare

Fanny apprend à jouer de la guitare. Rip n'aime pas cette musique.

guignol

Avec leurs camarades de classe, Fanny et Michel sont allés voir Guignol.

hache

Dans la forêt, le bûcheron abat un arbre à coups de hache. Une petite hache est une hachette.

haricot

Les grains du haricot sont enfermés dans une gousse. Avant de les faire cuire, il faut les écosser. On mange aussi les haricots verts.

harmonica

Michel joue de l'harmonica. Il souffle et fait glisser l'instrument contre ses lèvres.

hélicoptère

Cet hélicoptère a deux hélices. Dans la cabine, derrière le pilote, ont pris place deux passagères.

hérisson

Le hérisson
est un animal
très utile.
Il détruit
les insectes
nuisibles
de nos jardins.

hibou

Le hibou
est un oiseau
de nuit.
Il ouvre
de gros yeux
ronds.

hiver

L'hiver
est la saison
du froid
et de la neige.
Fanny
et Michel
sont allés
faire du ski
en montagne.

hiver

Des enfants
jouent aussi
à se laisser
glisser
sur une luge.
Les grands
patinent
sur la glace.

hirondelle

A la fin
de l'été,
les hirondelles
repartent
pour les
pays chauds.
Elles
reviennent
au printemps.

horloge

Quand
le carillon
de l'horloge
sonne,
un coucou
sort
du boîtier.

houx

Le houx
a des feuilles
piquantes,
et ses fruits
sont de
jolis grains
rouges.

hutte

Dans
les villages
africains
on voit
des
huttes rondes
aux toits
de roseaux.

île

Une île
est un espace
de terre
entouré d'eau
de tous côtés.

indien

Sa pagaie
à la main,
un
jeune Indien
descend
un torrent
sur son canoë.

insectes

Les insectes
sont de
petits animaux
qui ont tous
six pattes.
Leur corps
est composé
d'anneaux.
Tous vivent
sur la terre,
et ceux qui
séjournent
dans l'eau
sont obligés
de remonter
à la surface
pour respirer.

insectes

Sauterelle.
Papillon.
Coccinelle.
Hanneton.
Fourmi.
Mouche.
Abeille.
Guêpe.
Libellule.

iris

Au bord
de l'étang,
Fanny cueille
un bouquet
d'iris,
belles fleurs
violettes.

jacinthe

Dans des pots,
Fanny cultive
deux jacinthes,
une blanche
et une rose.
Elle les arrose.

jardin

Au jardin,
Fanny
et Michel
arrosent
les fleurs.
Le chien Rip
joue et saute
par-dessus
un massif
de pivoines.
Mistigri dort
roulé en boule
sur la
pelouse verte.

jardinier

Avec
son sécateur,
le jardinier
taille
les rosiers.
Il jette
les branches
coupées
dans
sa brouette
orange.

jeux

Fanny saute
à la corde,
tandis que
Michel joue à
saute-mouton
avec le chien.
Tout à l'heure,
ils feront
une partie
de tennis.
Ils ont chacun
leur raquette.

jeux

Quand
de petits
camarades
viennent
les rejoindre,
les enfants
jouent
aux barres,
à la marelle,
à chat perché.

jouets

Michel
a installé
le circuit
des rails
qui passent
sous
un tunnel.
Le garçon
place
les pylônes
et les signaux.

jouets

Michel
et Fanny
aiment
leur train
électrique.
Le chat
Mistigri
joue aussi
et court à la
poursuite
du train.

joue

Pour faire
des bulles
de savon,
Michel
gonfle
ses joues
et souffle.

jour

Le soleil
se lève,
il fait jour.
La semaine
a sept jours :
lundi, mardi,
mercredi,
jeudi,
vendredi,
samedi,
dimanche.

journal

Un homme
vient
d'acheter
un journal
au kiosque,
et il le lit
en partant.

kangourou

Le kangourou
porte
ses petits
dans
une poche
sous
son ventre.
Il vit
en Australie.

kimono

Ces
deux enfants
japonais
portent
des kimonos.

laine

La toison
du mouton
donne
la laine.
Fanny
tricote
un lainage
avec
des aiguilles
à tricoter.

lait

La fermière
trait sa vache.
Le petit veau
aura sa part
de lait.

lampe

Le soir,
Michel
lit souvent
près
de la lampe
du salon.

lanterne

Les lanternes
japonaises
sont faites
de papier
de différentes
couleurs.

landau

Fanny
promène
sa poupée
dans un
petit landau.

lapin

Cette lapine a
une portée de
six lapereaux
qui aiment
les carottes.

lasso

Un cow-boy
à cheval
attrape
un bœuf
au lasso.

légumes

La marchande
des
quatre-saisons
vend
des légumes
dans la rue.
Elle pèse
des asperges
pour
une cliente.
Des oignons,
de l'ail
et du persil
sont
accrochés.
La dame
en
tailleur violet
choisit
un artichaut.
Fanny prend
une aubergine.

légumes

Artichauts.
Asperges.
Aubergines.
Radis.
Choux.
Carottes.
Navets.
Salade.
Tomates.
Poireaux.
Concombres.

lézard

Le
gros lézard
à queue jaune
poursuit
le petit
lézard vert.

livre

Ce livre
de lecture
est ouvert
à la page L...
On apprend
à lire
dans
les livres.

lilas

Les
lilas roses
et blancs
fleurissent
au printemps.

lion

Le père lion
part chasser.
Les lionceaux
dorment
près
de la lionne,
leur mère.

lit

Le lit de
la poupée
de Fanny
a des
rideaux bleus.
Fanny
chante une
berceuse
pour endormir
sa fille.

loup

Le loup
est un animal
féroce.
Nos
chiens-loups
lui
ressemblent,
mais
ils ne sont pas
méchants.

lune

Dans le ciel,
parmi
les étoiles,
la lune brille,
ronde ou
en croissant.

lis

Le lis
est une
belle fleur
blanche
à
longue tige.

machines

Fanny
apprend
à se servir
d'une
machine
à coudre.
A la maison
on utilise
d'autres
machines
très pratiques :
la machine
à laver,
l'aspirateur,
le
réfrigérateur.

machines

La tondeuse
[à gazon]
est
une machine
à moteur.
Dans
les champs,
la
moissonneuse-
batteuse
fait
la récolte
du blé.

maçon

Sur un
échafaudage,
le maçon,
truelle
en main,
construit
un mur
de brique.

magasin

Michel
et Fanny
admirent
les
bicyclettes
exposées
dans
la vitrine
du magasin.

maillet

Fanny
et Michel
jouent
au croquet
et frappent
les boules
avec
leur maillet.

mains

Nous avons
cinq doigts
à
chaque main :
le pouce,
l'index,
le majeur,
l'annulaire
et
le petit doigt.

maison

Sur
la charpente
du toit,
les couvreurs
posent
les tuiles.
Les mansardes
sont faites.
Les peintres
ont peint
en blanc
la façade.
Au
premier étage,
les menuisiers
placent
les portes,
les fenêtres
et les volets.

maison

Au
rez-
de-chaussée,
on pose les
papiers peints.
Les maçons
terminent
le muret
de brique.
Ils mélangent
le ciment
avec
du sable
et de l'eau.
Un ouvrier
charge
des tôles
ondulées
sur le camion.

maisons

Dans le monde
il y a
beaucoup
de maisons
différentes,
comme cette
maison
japonaise,
cette villa.
L'igloo
des
Esquimaux
est fait de
blocs de glace.

maisons

Des plantes,
des roseaux,
de la paille
ou du chaume
couvrent
le toit
des huttes
construites
sur pilotis,
parfois même
dans
les arbres.
Mais
les villes
comptent
des milliers
de maisons.

32

maladie

A l'hôpital, l'infirmière soigne une petite malade. La rougeole, la coqueluche sont des maladies.

manche

Une veste, un manteau ont deux manches. Une pelle, une bêche ont un manche en bois.

marchands

La maman de Fanny, son filet à provisions à la main, fait ses achats au marché.

marché

Au marché on peut acheter la viande, le poisson, les légumes et les fruits.

marguerite

Les marguerites sont des fleurs des champs aux pétales blancs et au cœur jaune.

flowers of field

marin

Trois jeunes marins de la marine de guerre vont monter à bord du contre-torpilleur.

large destroyer

marrons

Au coin de la rue, un marchand fait griller des marrons.

mécanicien

Le mécanicien, dans la cabine, conduit la motrice. Il voit venir un autre train.

ménagerie

Dans une cage
de
la ménagerie,
le dompteur
fait travailler
les tigres
et les lions.

ménagerie

Lions.
Panthères.
Ours.
Singes.

mère

Fanny
joue
à la maman
avec
son poupon.
La fête
des mamans
est la fête
des Mères.

merle

Le merle
tient un ver
dans
son bec jaune.
Il le porte
à ses petits.

mètre

Avec
un mètre
pliant
en bois,
Michel
et
Fanny
mesurent
la largeur
de la fenêtre.

mesures

Litre.
Décalitre.
Poids :
kilogramme.
Cent grammes.
Un gramme.

métro

Le métro
est un
chemin de fer
souterrain.
Il est parfois
aérien
et passe
au-dessus
des
boulevards,
sur
des arcades.
Les rames
ont 5 ou
6 wagons.

métro

Au
portillon,
à l'entrée
du quai,
un employé
poinçonne
les billets.

montagne

Les pics
et
les sommets
de
la montagne
sont couverts
de neige,
en hiver.
Les forêts
de sapins
poussent
sur les pentes.
Les villages
groupent
leurs maisons
dans
les vallées.
Quelques
chalets
de bois,
à l'écart,
abritent
les amateurs
de
sports d'hiver.
Des enfants,
partis
en « classe
de neige »,
skient,
plus ou moins
bien,
font de la luge
ou décorent
le bonhomme
de neige.
Les patineurs,
sur
leurs patins
à glace,
glissent
sur
le lac gelé.
Les grands
repartent
en prenant
le téléski
ou le
remonte-pente.
L'été,
quand la neige
a fondu,
les alpinistes
vont,
en cordées,
escalader
les sommets.

motocyclette

Dans cette course de motocyclettes, le premier passe devant les tribunes. Il porte un casque blanc.

mouche, moustique

Trois mouches se sont posées sur un morceau de sucre. Au-dessus d'elles vole un moustique aux longues pattes.

moulin

La rivière fait tourner la grande roue du moulin à eau. Sur le coteau, on voit un moulin à vent avec ses ailes.

muguet

Le 1er mai, on offre à ses amis un bouquet de muguet, porte-bonheur.

musicien

Le chef d'orchestre, avec sa baguette, dirige les musiciens. On reconnaît les instruments à cordes et les instruments à vent. Au fond, le timbalier frappe les timbales.

musique
(instruments de)

Violon.
Violoncelle.
Alto.
Contrebasse.
Flûte.
Hautbois.
Saxophone.
Trompette.
Basson.
Cymbales.

nageur

Fanny
apprend
à nager
avec
une bouée
rouge.
Michel
est déjà
un
bon nageur.

natte

Une amie
de Fanny
est coiffée
avec
des nattes.

navires

Les navires
à voile
prennent
le large
pour
participer
à
une régate.
La vedette
a
un moteur.

navires

Les
grands navires,
les paquebots,
les pétroliers,
les cargos
marchent
à la vapeur.

niche

Rip,
la chaîne
au cou,
est couché
devant
sa niche.

nid

Perché
sur le bord
de son nid,
un oiseau
donne
la becquée
à sa nichée
d'oisillons.

nœud

Fanny
porte
aujourd'hui
dans
les cheveux
un nœud
de
ruban bleu.

Noël

Près
du sapin
de Noël
tout
illuminé,
les enfants
ont disposé
la crèche.

Noirs d'Afrique

Beaucoup d'habitants de l'Afrique sont des Noirs. Les chasseurs de la grande forêt tirent les antilopes à la flèche. Dans leurs pirogues, sur les grands fleuves, ils chassent aussi les hippopotames.

Noirs

Aux grandes fêtes, autour d'un feu, ils dansent au son d'un tam-tam.

nu

Le poupon de Fanny est tout nu. Elle l'a déshabillé avant son bain.

nuit

Le soleil est couché, la nuit commence. Avant d'aller au lit les enfants souhaitent bonne nuit à leurs parents.

numéro

Chaque maison, dans la rue, porte un numéro. On écrit ce numéro sur l'enveloppe des lettres qu'on envoie.

numéro

Les voitures automobiles portent un numéro de plusieurs chiffres.

oiseaux

Tous les oiseaux ont
un bec, deux ailes
(avec des plumes)
et deux pattes.
Les uns volent,
se posent dans
les arbres où
ils font leurs nids.
Certains oiseaux vivent
et chassent la nuit
comme le hibou
et la chouette.
D'autres oiseaux
vivent au bord de l'eau :
canards, pélicans,
flamants roses
ou hérons. L'autruche
court et ne vole pas.

œuf

La poule
vient
de pondre
un œuf.
Fanny
le mangera
à la coque.

oie

Six oies
marchent
à la
file indienne.
Elles
se balancent
lourdement.

olive

L'olive
est
le fruit
de l'olivier.
Elle sert
à faire
de l'huile.
On mange
aussi
des
olives vertes
ou noires.

oreille

L'âne
a
de longues
oreilles.
Les boucles
d'oreilles
sont
de petits
bijoux.

os

Rip ronge
un os
que
Michel
a demandé
pour lui
au boucher.

ours

Une petite
bohémienne
joue
du tambourin
pour
faire danser
son ours.

outils

Le parrain
de Michel
lui a offert
pour sa fête
une caisse
d'outils.
Il les déballe
devant Fanny.

outils

Marteau.
Pinces.
Tenailles.
Vrille.
Tournevis.
Limes.
Scie à main.
Clef.
Mètre pliant.

palmier

Les palmiers
sont
des arbres
sans branches.
Ils portent
un large
bouquet
de feuilles.

pample-mousse

Les pam-
plemousses
ressemblent
à de grosses
oranges.
Ils sont
moins jaunes
que
les citrons.

panier

Le Petit
Chaperon
rouge
portait dans
son panier
une galette
à sa
mère-grand.

panthère

Semblable
à un gros
chat tacheté,
la panthère
est un animal
sauvage
d'Afrique
et d'Asie.

paon

Ouvrant
sa queue
de toutes
les couleurs
de
l'arc-en-ciel,
le paon
fait
la roue.

papier

On écrit
sur du papier
à lettres.
On enveloppe
les paquets
dans
du papier.

pâquerette

Les
pâquerettes
fleurissent
dans
les champs.
Elles sont
blanches.

paquet

Michel
ficelle
un paquet
à expédier
par la poste.
Il écrira
l'adresse
sur
une étiquette.

parachute

Le parachutiste a sauté de l'avion. Il descend suspendu à son parachute.

parapluie

Il pleut. Fanny et Michel s'abritent sous le même parapluie.

passerelle

Une passerelle est un petit pont sur lequel on passe pour traverser un ruisseau.

patins

Michel a fait une chute en jouant sur glace avec ses patins. Fanny est plus adroite que lui.

pêche

Pour pêcher, les marins vont jeter en mer leurs filets.

pêcheur

Le pêcheur à la ligne, lui, se sert d'une canne à pêche, d'un fil, d'un bouchon et d'hameçons.

peintre peinture

Avec un pinceau et un pot de peinture verte, Michel repeint la niche de Rip.

pendule

La pendule qui est sur la cheminée a deux aiguilles dorées. Les chiffres du cadran marquent les heures.

pensée

Les pensées
sont
de jolies
fleurs
aux couleurs
très variées.

perroquet

Le perroquet,
une chaînette
à la patte,
est attaché
à son perchoir.

peuplier

Les peupliers
sont
de grands
arbres
qui poussent
près
des rivières.

phare

La nuit,
à l'entrée
du port,
le phare
éclaire la mer.
Les marins
voient
de très loin
sa lumière.

photographe

Maman
a conduit
les enfants
chez le
photographe,
qui fera
leur portrait.

pigeon

Sur le rebord
de
leur pigeonnier
au toit pointu,
deux pigeons
roucoulent.

pingouin

Les pingouins
vivent
sur une mer
de glace.
Ils marchent,
nagent
très bien,
mais ne
volent pas.

pipe

Le soir,
en lisant
son journal,
le papa
des enfants
fume
sa pipe.

plage

Au bord
de la mer,
cette plage
de sable fin
reçoit une
foule
d'enfants.
Les uns
s'abritent
sous les
tentes et
sous les
parasols.
Les autres
jouent :
au tennis,
sur le
portique,
ou
bâtissent
un château
de sable.
Les baigneurs
plongent
des rochers.
Les voiliers
ont pris
le large.
Un canot
file en tirant
un skieur
nautique.
Un canoë
et un pédalo
flottent
dans la crique.
Près
des falaises,
le phare,
au bout
de la jetée,
signale l'entrée
du port.

plante

Les choux,
les poireaux,
les carottes,
qui poussent
dans
la terre
avec
des racines,
sont
des plantes.

plongeur
sous-marin

Avec
son
scaphandre
et son fusil,
ce plongeur
sous-marin
n'a pas osé
s'attaquer
à un requin.

plume

Pour écrire
à l'encre,
on se sert
d'un
porte-plume
et d'une
plume.
Les stylos
ont une
plume dorée.

plume

Des plumes
multicolores
couvrent
le corps
des oiseaux.
Les grandes
plumes
des ailes
permettent
aux oiseaux
de voler.

poissons

Les poissons
vivent
dans l'eau.
Certains
ne fréquentent
que les
eaux salées.
Voici
des poissons
de mer :
Une sardine.
Un maquereau.
Une sole.
Un hareng.
Une morue.

poissons

D'autres
poissons
ne se
rencontrent
que
dans les
eaux douces.
Voici
des poissons
d'eau douce :
Une truite.
Un goujon.
Une carpe.
Un brochet.
Une anguille.
Celle-ci vit
dans
les rivières,
mais
va pondre
ses œufs
dans la mer.

pompe

Rip a soif.
Michel lui
pompe
de l'eau
à la pompe
du jardin.

pompier

Les pompiers,
montés sur
leurs échelles
pour éteindre
un incendie,
noient le feu
sous le jet
de
leurs lances.

pont

Le train passe
au-dessus
du fleuve
sur un pont
à
cinq arches.

porc

On engraisse
les porcs
pour faire
des jambons,
du boudin
et
des saucisses.

port

Le long des
quais du port
sont amarrés
des paquebots,
des voiliers,
des yachts.
Des
remorqueurs,
reliés par
un câble
à un navire,
le tirent
pour lui faire
franchir
la passe.
Deux jetées,
terminées
par un phare,
protègent
les navires
de
la tempête.

port

Le cargo,
au
premier plan,
est à quai.
La
grue roulante,
sur rails,
élève
une caisse.
Les voies
de
chemin de fer
viennent
jusqu'aux
quais,
où les wagons
de
marchandises
sont chargés
ou déchargés.

poste d'essence

Le pompiste
fait le plein
du réservoir
de l'auto,
grâce
aux pompes
à essence.

P. T. T.

Le service
des P. T. T.
assure
le transport
des lettres,
des
télégrammes,
et les liaisons
téléphoniques.

pot

Avec un pot
à eau,
Fanny
arrose
des tulipes,
dans un pot
de fleur.

poupée

Sophie,
la poupée
de Fanny,
est presque
aussi grande
que sa jeune
maîtresse.

printemps

printemps

Les oiseaux
font leurs nids.
Les enfants
vont cueillir
les primevères,
les jonquilles
et les coucous.

Au printemps,
les feuilles
des arbres
poussent.
Les lilas,
les cerisiers
fleurissent,
ainsi
que les
violettes
des bois
et les petites
clochettes
bleues.

puits

Le voisin
tire l'eau
de son puits
avec un seau
et une corde
qui passe
sur
une poulie.

pyjama

Pour
aller au lit,
les enfants
mettent
leur pyjama.

quilles

Les enfants
jouent
aux quilles.
Rip en a
renversé deux.
Combien
en reste-t-il
debout?

radiateur

On installe
le chauffage
central.
Un ouvrier
pose
un radiateur.

radio

Fanny
et Michel
ont un petit
poste portatif
avec
son antenne.

raisin

On cueille
le raisin
dans les vignes,
pour en faire
du vin,
et
dans
les treilles
pour
la table.

rameau

On dit
« un rameau »
pour une
branchette
d'olivier
ou de buis.
Le dimanche
avant Pâques
est
le dimanche
des Rameaux.

raquette

Fanny
et son frère,
sur le court,
se renvoient
la balle
avec
leurs
raquettes,
par-dessus
le filet.

râteau

Dans
la prairie,
pour râteler
le foin coupé,
le cultivateur
se sert
d'un râteau
mécanique.

râteau

Au jardin,
pour
ratisser
une allée,
le jardinier
se sert
d'un râteau
à
long manche.

renard

Sous l'arbre
où le corbeau
est perché,
maître renard
attend que
le fromage
tombe
du bec
de l'oiseau.

renne

Le petit
Esquimau
fait tirer
son traîneau
par un renne.

réveil

Le réveil
sonne
le matin
à l'heure où
il faut sortir
du lit.

rhinocéros

C'est
un énorme
animal.
Sa peau
ressemble à
une cuirasse.
Il porte
une corne
sur le nez.

rideau

Accrochés
devant
la fenêtre,
les rideaux
sont noués
par des rubans
bleus.

robe

La robe
de Fanny
est rose,
elle a
des manches
courtes,
un col blanc
et
une ceinture
également
blanche.

robinet

Un lavabo
a deux
robinets,
un
pour l'eau
froide,
l'autre pour
l'eau chaude.

rose

La rose
est une fleur
au parfum
très doux,
mais sa tige
porte
des épines.

rouge-gorge

Le
rouge-gorge
est un petit
oiseau.
Son chant
est
très doux.

roue

La
bicyclette
de Michel
a deux roues.
Le tricycle
de Fanny
en a trois.

roulotte

La roulotte
à quatre roues
des
bohémiens
est remplacée,
peu à peu,
par
des caravanes.

ruche

La
petite maison
des abeilles
est une ruche.
Plusieurs
ruches
forment
un rucher.

rue

Dans la rue,
les piétons
marchent
sur
les trottoirs.
Les voitures
roulent sur
la chaussée.
Elles
s'arrêtent
aux
feux rouges.
L'avenue
est bordée
de
grands arbres.

rue

C'est l'été.
Une
voiture-citerne
arrose
les pavés.
Deux agents,
au carrefour,
ont arrêté
leur
motocyclette
et surveillent
la circulation.
Le conducteur
de l'autobus
attend
le signal
pour franchir
le carrefour.

ruisseau

Dans l'eau
de ce petit
ruisseau
poussent
de jolies
fleurs bleues,
des myosotis.

sable

Avec
leurs pelles
et leurs seaux,
Michel
et Fanny
font
un château
de sable.

sac

Le petit sac
à main
de Fanny
est
en cuir vert.
Elle y met
son mouchoir.

sel

Dans
les
marais salants
on recueille
le sel
contenu
dans l'eau
de mer.
A table,
on met du sel
dans
les aliments.

**salle
de bains**

Fanny
a pris
son bain
dans
la baignoire.
Elle sort
de la salle
de bains,
enveloppée
dans
son peignoir.

**salle
de bains**

Baignoire.
Douche.
Chauffe-bain.
Éponge.
Savon.
Peignoir
de bain.

sanglier

Le sanglier
est
un animal
de nos forêts.
On dirait
un cochon
sauvage
à longs poils.

saut

Le cavalier
fait sauter
son cheval
par-dessus
la barrière
blanche.

selle

Ce cavalier
pose une selle
sur le cheval :
il selle
sa monture.
Le cycliste
s'assied
sur une selle.

**serviette
de table**

Fanny
a mis
le couvert.
Dans
les verres
elle a disposé
les serviettes
en éventail.

serrure

Pour fermer
ou ouvrir
une porte,
on tourne
la clef
dans
la serrure.

sifflet

Pour siffler,
le merle
n'a pas besoin
d'un sifflet,
comme Michel
pour appeler
Rip.

singe

La guenon
qui porte
son petit
sur son dos
ne joue pas
avec
les autres
singes.

sonnette

Une
sonnette
est
une petite
cloche.

soupe

Maman
a servi
la soupe
fumante
dans
la soupière.

souris

Le chat
poursuit
une souris.
Il
voudrait bien
l'attraper.
A moins
qu'ils jouent
au chat
et à la souris.

sports

Les sports
d'équipe
demandent
que chaque
joueur
participe
à l'action.
Voici :
une équipe
de basket-ball,
des joueurs
de volley-ball.
Au centre,
les équipes
de football
disputent
un match
amical.
Les nageurs
plongent
ou participent
à des courses.

sports

Les athlètes
pratiquent
l'athlétisme :
ici,
le saut
à la perche;
la course
de haies,
une course
de fond.
Le cavalier,
au centre,
parcourt
la campagne
au trot.
Il fait
de l'équitation.

statue

Dans
le jardin
public,
les enfants
jouent autour
d'une statue.

sucre

Rip
est gourmand.
Il se dresse
pour saisir
le morceau
de sucre
que Michel
a pris
dans le sucrier.
Il fait
le beau.

tabac

Papa
va bourrer
sa pipe
avec
des feuilles
d'une plante
préparées pour
être fumées.

tapis

Le chien
et le chat
sont allongés
côte à côte
sur le tapis.

téléphone

L'écouteur
de l'appareil
à l'oreille,
Fanny
téléphone
à une amie.

tente

Les éclaireurs
ont allumé
un feu
de camp
devant
leurs tentes.

tigre

Le tigre
est un fauve
à la
robe rayée
qui vit
en Asie.
On le chasse
à dos
d'éléphant.

timbre

Avant
de poster
une lettre,
on colle
un timbre
sur
l'enveloppe.

tirelire

Fanny
garde dans
sa tirelire
les pièces
qu'on
lui donne.

tonneau

Le vin
est conservé
dans
des tonneaux,
on le tire
par
le robinet.

tracteur

Monté
sur
son tracteur,
le cultivateur
laboure
un champ.

tour

Avec son pied,
le potier
fait tourner
son tour
et façonne
un pot.

54

travailleurs

Le garagiste vient de changer un pneu. L'installateur vérifie un radiateur. Sur cette nouvelle route, les travailleurs écrasent les pierres avec un rouleau et goudronnent la chaussée.

travailleurs

Le peintre décore la maison avec de nouvelles couleurs. Le maçon monte un mur de brique.

troupeau

Le chien marche en avant du troupeau de moutons, et le berger suit ses bêtes.

trompette

Dans ce défilé, les gardes à cheval jouent de la trompette.

tuile

Le toit de la ferme est recouvert de tuiles rouges. Le pigeonnier pointu est revêtu d'ardoises.

usine

Au-dessus des toits s'élèvent les hautes cheminées des usines.

vague

De grosses vagues battent les rochers couverts d'une écume blanche.

valise

Avant de partir en voyage, Fanny range ses vêtements dans une valise.

verre

Un verrier
chauffe,
au bout
d'une canne,
le verre qu'il
va travailler.
Un autre
souffle
à la bouche
un ballon
de verre.
Ces artistes
façonnent
les verreries
comme celles
que
l'on voit ici.
Combien
y en-a-t-il?

vêtements

Chandail.
Jupe.
Robe.
Écharpe
Manteau.
Gants.
Veste.
Pantalon.
Chemise.
Cravate.
Ciré.
Imperméable.
Anorak.
Bonnet.
Pèlerine.
Bas.
Pyjama.
Béret.
Salopette.
Souliers.
Sandales.
Bottes.
Bottillons.
Pantoufles.
Espadrilles.

village

Sur la place
du village,
l'autocar,
chargé
de bagages,
s'est arrêté.
Au fond,
l'église
avec son
clocher
a un portail
qui s'ouvre
sur la place.
La mairie
porte
deux
drapeaux.

village

Au loin,
sur
une colline,
se dresse le
vieux château.
Les toits,
couverts
d'ardoise
ou de tuile,
ont
des mansardes.
Sur la place,
la boucherie
est peinte
en rouge;
l'épicerie
a un store
blanc
rayé
de rouge.

ville

Du haut
du nouveau
gratte-ciel
Fanny
découvre
la ville.
Après
l'agitation
de la rue,
où circulent
les autos,
les camions,
les autobus
et les piétons,
Fanny
observe
la marchande
de journaux
dans son
kiosque vert;
la dame
en rouge
qui monte
le perron
de
l'hôtel
de ville.
Que joue-t-on
au théâtre
ce soir?
Elle est
trop loin
pour lire
les affiches.
Elle ira
faire un tour,
ensuite,
aux Nouvelles
Galeries
pour faire
des achats.
Demain
elle visitera
la cathédrale,
dont
les flèches
se dressent
dans le ciel.
Et elle
prendra,
pour Michel,
une
photographie
du beffroi.

ville

Fanny
est au cœur
de la
vieille ville.
Elle remarque
les différents
immeubles.
Elle aime
beaucoup
les balcons.
Elle préfère
les boutiques
installées
au rez-
de-chaussée
des maisons.
Fanny,
curieuse,
ira voir
les ensembles
modernes
dont
elle distingue
l'architecture
de béton.
Mais elle
ne veut pas
aller
dans le secteur
des usines :
elle
n'aime pas
les cheminées
trop hautes.
Fanny
trouve
que les villes
manquent
de jardins
et d'arbres.

vis

A l'aide d'un tournevis, Michel remplace une vis qui manquait à la serrure de la porte.

visage

Ici, Fanny est vue de face et de profil. Peux-tu nommer toutes les parties du visage : nez, oreilles, etc.?

vitrail

Des verres de couleurs différentes sont réunis par des plombs. Le soleil joue à travers le vitrail.

voile

Les voiles du bateau de pêche sont hissées. Le bateau avance vite.

voiture

Que de voitures! Une voiture d'enfant sur le toit du car! Une voiture à bras poussée par le chiffonnier!

voiture

La voiture à cheval semble perdue au milieu des voitures automobiles, des camions et des camionnettes.

vol

Un vol de canards passe au-dessus de l'étang. Le canard sur la mare ne veut pas s'envoler.

volcan

Le volcan en éruption crache du feu et de la lave.

wagon

Dans ce centre de triage on voit des wagons de marchandises : un wagon frigorifique, un wagon-citerne qui transporte de l'essence, un wagon à deux plates-formes qui porte six automobiles.

wagon

Une grande ligne passe le long des voies de triage. Les voyageurs de la voiture verte ont quitté leurs compartiments pour voir, du couloir, le spectacle bariolé. On dort déjà dans le wagon-couchette et il n'y a personne au wagon-restaurant.

yaourt

Pour manger son yaourt, Lili se sert d'une cuiller

yeux

Nous avons deux yeux. L'été, pour protéger les siens, Fanny porte des lunettes de soleil.

zèbre

Le zèbre ressemble à un gros poney. Sa robe est rayée de blanc et de noir.

zigzag

Le chemin en zigzag conduit au village.

Imprimerie G.E.A., via Assab, Milan. — Dépôt légal. 1970-3e.
No Série 8123. — IMPRIMÉ EN ITALIE (Printed in Italy). — 51 420-C-9-77.